Princesses du Monde

...monde avec les plus belles princesses...

Rosette
Princesse française

*I*l était une fois, dans un royaume de France, une princesse nommée Rosette. À sa naissance, les fées avaient prédit qu'elle allait un jour causer la mort de ses frères. Le roi et la reine l'avaient alors enfermée dans une tour afin d'empêcher la prédiction de se réaliser. À la mort de leurs parents, les deux princes, ignorant tout, s'empressèrent de la délivrer. En sortant, Rosette vit un paon et trouva l'animal si merveilleux qu'elle souhaita se marier avec le roi des paons. Les princes allèrent donc trouver celui-ci avec un portrait de Rosette. Le roi en tomba aussitôt amoureux et envoya chercher la princesse. Pendant le voyage en bateau, sa nourrice jalouse jeta Rosette dans les flots et vêtit sa fille comme la princesse. Quand le roi des paons accueillit celle qu'il croyait être Rosette, il découvrit une jeune fille laide et méchante. Il pensa alors que les princes s'étaient moqués de lui et les emprisonna. Par chance, Rosette ne s'était pas noyée. Elle se présenta au palais et le roi des paons reconnut aussitôt la princesse du portrait, qui était encore plus belle qu'il ne l'imaginait. Il délivra les deux princes, fit chasser la nourrice et sa fille et organisa une grande fête pour annoncer son mariage avec Rosette.

Sorenza
Princesse italienne

Il était une fois, dans la plus magique des villes d'Italie, une princesse qui vivait dans un château entouré d'eau. Le château était magnifique, mais, seule au milieu de toutes ces pièces, la princesse Sorenza s'ennuyait beaucoup. Alors, elle se vêtait d'une belle cape et d'un masque de soie pour ne pas être reconnue et parcourait la ville en voguant sur les canaux. Un jour, très loin du château, un jeune homme, en suivant un aigle, se perdit dans la forêt. Après une longue errance, il rencontra un géant qui lui proposa de lui indiquer le chemin pour rentrer chez lui. Mais en contrepartie, le jeune homme devrait creuser un trou dans le mur du palais et rapporter au géant la princesse qu'il trouverait endormie. Le jeune homme, qui n'avait d'autre solution pour retrouver sa route, obéit au géant. Il fit un trou dans le mur du château et traversa les pièces jusqu'à ce qu'il découvrît, profondément endormie, notre princesse. Elle était si belle qu'il ne put se résoudre à l'apporter au géant. Il se saisit alors d'une des pantoufles de Sorenza et se dirigea vers le trou qu'il avait fait dans le mur. Puis, il appela le géant qui passa sa tête par l'ouverture. Alors, le jeune homme frappa de toutes ses forces et tua le géant d'un seul coup. Dehors, comme par magie, il retrouva l'aigle qui lui montra le chemin du retour. À son réveil, la princesse se demanda qui avait pu pénétrer dans son château et dérober sa pantoufle. Elle se dit qu'il devait s'agir d'un jeune homme bien courageux et décida de partir à sa recherche. Comme à son habitude, elle parcourut tout le jour la ville dans sa gondole, puis s'arrêta le soir pour se reposer et pria les gens de passage de lui raconter des histoires pour la divertir. Le jeune homme, qui passait justement par là, lui raconta son aventure avec le géant et la belle princesse endormie et pour confirmer ses dires, sortit la pantoufle dérobée. En entendant ses paroles, Sorenza, toute joyeuse, sortit l'autre pantoufle et enleva son masque pour qu'il la reconnaisse. Quelques temps après, la princesse épousa le courageux jeune homme et plus jamais elle ne se sentit seule.

Natasha
Princesse russe

Il était une fois, en Russie, un jeune prince qui, en se promenant, vit arriver un magnifique cygne blanc. Pour ne pas effrayer le bel animal, il se cacha dans les roseaux. Le cygne se posa au bord de l'eau, enleva ses habits de plumes et se transforma en une superbe jeune fille qui alla se baigner dans le fleuve. Le prince, émerveillé, s'empara des plumes. Après sa baignade, la jeune fille, désespérée de ne pas pouvoir se retransformer en cygne, promit d'épouser celui qui avait pris ses plumes. Le prince se montra alors et les lui rendit. La belle était la princesse Natasha, fille du roi des Mers. D'ailleurs, on entendait déjà son grondement, furieux qu'un prince ait approché sa fille. En guise de punition, il fit passer au jeune homme des épreuves impossibles à réussir pour un simple mortel. Mais, la belle princesse appela des petits lutins qui s'acquittèrent en secret de tout ce que demandait le roi. À chaque épreuve, le roi crut que le prince avait réussi. Il accepta donc de le laisser partir. De son côté, Natasha promit au prince de le rejoindre trois ans et trois jours plus tard. Mais elle le mit en garde : pendant ce temps il ne devait pas embrasser son père, sinon la belle princesse s'effacerait de sa mémoire. Malheureusement, le prince ne suivit pas les recommandations de Natasha et aussitôt, il l'oublia. Trois ans et trois jours plus tard, le prince s'apprêtait à épouser une autre jeune fille. Le mariage allait être célébré quand apparut une très vieille femme. Elle s'adressa au prince en lui demandant s'il avait oublié Natasha. À ces paroles, la mémoire revint au jeune homme et il devina que sous les traits de la messagère se cachait sa bien-aimée. Il annonça donc à tout le monde qu'il allait épouser la vieille femme. Personne ne le comprit, mais tout à coup, celle-ci disparut et à sa place, on vit apparaître la belle Natasha. Enfin délivrée du sortilège du cygne, la princesse épousa son prince.

Aiko
Princesse japonaise

Il était une fois, au Japon, un roi et une reine qui vivaient heureux avec leur petite princesse nommée Aiko. Malheureusement, un jour, la reine tomba gravement malade. Avant de mourir, elle promit à sa fille de toujours veiller sur elle et disant ces mots, déposa sur la tête de la princesse un petit coffre qu'elle recouvrit d'un très grand bol. Quelques mois plus tard, la pauvre Aiko, accablée de chagrin par la mort de sa mère et défigurée par ce bol qu'il lui était impossible d'enlever, fut chassée du château par la nouvelle femme de son père. Perdue et vêtue de haillons, elle erra sur les routes jusqu'à ce qu'elle arrive dans un royaume lointain où elle fut engagée comme servante au palais. Honteuse de son allure, Aiko n'avait pas osé révéler sa véritable identité. Cependant, la princesse possédait une telle grâce malgré le bol qui lui recouvrait le visage, que le plus jeune fils du roi en tomba bientôt amoureux. La princesse partageait ses sentiments, mais la mère du prince refusait cet amour à cause de l'apparence d'Aiko. Les deux jeunes gens décidèrent donc de s'enfuir ensemble. Mais alors, au moment même où ils quittaient le palais, comme par magie, le bol tomba de la tête d'Aiko, libérant le petit coffre, souvenir de la reine disparue. Celui-ci était empli de tissus somptueux et de kimonos de soie. À cet instant, le prince découvrit enfin le visage de sa bien-aimée, d'une extraordinaire beauté et la jeune fille, redevenue elle-même, revêtit ses atours de princesse. Dès lors, personne ne s'opposant plus à leur amour, Aiko et le prince se marièrent et jamais ils n'oublièrent la mère de la princesse à laquelle ils devaient leur bonheur.

Li Chaowei
Princesse chinoise

*I*l était une fois, en Chine, une princesse appelée Li Chaowei. Elle était la fille du puissant Roi dragon et son père la chérissait plus que tout au monde. Cependant, la princesse vivait aujourd'hui très loin de ses parents et de son Royaume des Eaux et elle était malheureuse car le prince qu'elle avait épousé était cruel et la maltraitait. Un jour, un prince nommé Liu se perdit dans le royaume où se trouvait la princesse. En passant à cheval, il aperçut la belle jeune fille pleurant à chaudes larmes. Il s'arrêta pour lui proposer son aide et Li Chaowei lui raconta son histoire. Le gentil prince accepta alors d'aller porter un message de la part de la princesse à son père, le Roi dragon. Mais il lui fit promettre en retour de ne pas l'oublier quand elle serait à nouveau chez elle. Après un long voyage, le prince Liu arriva devant le lac où se cachait le Royaume des Eaux. Comme le lui avait indiqué la princesse, il s'approcha d'un oranger sacré et le frappa trois fois. Les eaux du lac s'écartèrent alors et, fermant les yeux, le prince se retrouva devant le Roi dragon. Liu lui donna le message de la princesse. Le roi se mit alors dans une colère noire et envoya son frère, le Dragon Pourpre, chercher la princesse et tuer son mari indigne. Quelques heures plus tard, Li Chaowei était de retour. Le roi organisa une grande fête et remercia chaleureusement le prince Liu. Cependant, celui-ci rentra chez lui le cœur serré car il était tombé amoureux de la princesse et ne savait pas que Li Chaowei partageait ses sentiments. La jeune fille, respectant sa promesse et ne pouvant vivre loin de celui qu'elle aimait, rechercha Liu pendant des jours et des jours. Enfin, quand elle le retrouva, ils s'avouèrent leur secret et, plus heureux que jamais, retournèrent au Royaume des Eaux pour se marier. Auprès du Roi dragon, la princesse Li Chaowei et le prince Liu vécurent heureux et vivent encore car les habitants de ce royaume magique sont immortels.

Sanyogita
Princesse indienne

Il était une fois, en Inde, Sanyogita, une des plus belle princesses du monde. Un beau jour, le roi organisa une grande fête pendant laquelle, selon la tradition, la princesse pourrait choisir son époux. Malheureusement, la jeune fille était amoureuse d'un ennemi de son père, le prince Prithvi. Lorsqu'il l'apprit, le roi fit enfermer la princesse et pendant ce temps convia à la fête tous les princes et les rois des royaumes alentour. Bien entendu, le prince Prithvi ne fut pas invité. La princesse ne perdit pas espoir et envoya un message au prince lui avouant ses sentiments. Prithvi le reçut avec bonheur car il espérait secrètement épouser la belle Sanyogita. Le jour de la cérémonie, la princesse, libérée, traversa la ville sur le dos d'un éléphant. À son entrée dans la salle du trône, elle ne prêta attention à aucun des princes qui se trouvaient là, sa seule préoccupation étant de trouver son bien-aimé. Mais soudain, elle aperçut une statue du prince Prithvi, que le roi, malicieux, avait fait faire afin de punir sa fille. Sanyogita, décidée, se dirigeait dignement vers la statue quand tout à coup, le vrai Prithvi fit son entrée. Aussitôt, ils s'enfuirent ensemble pour échapper à la colère du roi et dans le royaume du prince, Sanyogita et Prithvi se marièrent. Dès lors, le pays eut sur son trône la plus heureuse des princesses.

Shéhérazade
Princesse d'Orient

Il était une fois, quelque part en Orient, un sultan que tout le monde redoutait tant il était cruel. Celui-ci avait fait le serment de se marier chaque jour avec une nouvelle femme et de tuer cette dernière dès le lever du soleil le lendemain. Dans le palais du sultan vivait aussi une princesse appelée Shéhérazade. La princesse était aimée de tous car elle était non seulement d'une beauté à couper le souffle mais surtout, elle était une merveilleuse conteuse. Lorsqu'elle racontait des histoires, le temps était comme suspendu et tout le monde voulait l'écouter. Shéhérazade, qui était aussi très maligne, émit un jour le souhait de devenir la femme du sultan. Le mariage fut célébré tristement, à l'image du sort qui attendait la princesse. Mais le soir même, lorsque Shéhérazade se retrouva seule avec le sultan, elle lui proposa de lui raconter une histoire. Le sultan accepta car il savait qu'elle était une merveilleuse conteuse. Toute la nuit, Shéhérazade raconta et raconta et puis, au lever du soleil, au moment le plus intéressant de l'histoire, elle s'arrêta et annonça qu'elle ne raconterait la fin que le lendemain. Le sultan, suspendu à ses lèvres, en oublia sa colère et attendit le jour suivant, impatiemment mais calmement. Désormais, chaque nuit, Shéhérazade racontait la suite d'une histoire et, à la demande du sultan, en commençait une nouvelle qu'elle ne terminait que le lendemain. Ainsi, pour le plus grand bonheur de tous les habitants du palais et du royaume, le sultan, captivé par les talents de conteuse de la princesse et par sa beauté, était devenu le plus doux des sultans. Ravi de sa transformation et conscient qu'il devait ce nouveau bonheur à la princesse, le sultan oublia son cruel serment et promit à Shéhérazade de la chérir tout au long de sa vie.

Neferou-Râ
Princesse égyptienne

*I*l était une fois, en des temps lointains, un grand roi d'Égypte qui décida de visiter son immense royaume. Il se mit en route avec un convoi royal. Après un long voyage, il arriva un jour au domaine du prince de Bakthan. Celui-ci offrit au roi non seulement les objets les plus riches et les plus rares en sa possession, mais il lui fit également don du plus inestimable des trésors : la princesse Neferou-Râ, sa fille aînée. Celle-ci était si belle que le roi en fut ébloui et l'épousa immédiatement. Quand elle arriva au palais du roi, Neferou-Râ fut aussitôt traitée en souveraine par tous les sujets du royaume. Pour son époux, elle était la plus merveilleuse princesse qui existât dans tout l'univers et il aurait fait tout ce qui était en son pouvoir pour la satisfaire. Aussi, un jour, quand un messager de Bakthan annonça que la sœur de la princesse était très malade et que rien ne pouvait la soigner, Neferou-Râ pria le roi tout puissant de trouver un remède. Celui-ci envoya les meilleurs médecins d'Égypte, les plus grands savants et les sages de son royaume, mais rien n'y fit, la sœur de la princesse dépérissait. Neferou-Râ décida alors de se rendre elle-même au Royaume de Bakthan pour tenter de sauver sa sœur bien-aimée. Elle entreprit le long voyage. Quand la princesse apparut dans la chambre de la malade, une lumière éblouissante l'accompagnait et au même instant, le mal qui affaiblissait la jeune fille s'envola. L'amour de Neferou-Râ l'avait guérie bien mieux que tous les remèdes du monde. Heureuse de savoir sa sœur de nouveau en bonne santé, la princesse retourna dans le royaume de son époux. Là-bas, elle régna aux côtés du roi, fier d'avoir une femme aussi extraordinaire que Neferou-Râ.

Rehani
Princesse africaine

Il était une fois, en Afrique, un village dans lequel vivait la fille du Roi des Lions, la princesse Rehani. Personne ne l'avait jamais vue, mais tout le monde savait qu'elle ne voulait épouser que l'homme le plus intelligent et le plus ingénieux au monde. Et l'on disait également qu'elle était très belle et fine d'esprit. Dans un village à l'autre bout du pays, le prince des Léopards, qui rêvait d'épouser la princesse des Lions, envoya sa demande en mariage. Pour toute réponse, il reçut un paquet au contenu mystérieux : un morceau de charbon de bois, un os, une feuille de papayer, une boîte de tabac, une poignée de riz et un collier de perles. Le prince réfléchit pendant deux jours et deux nuits à la signification de tous ces objets. Et au matin du troisième jour, un grand sourire éclaira son visage, car il avait compris le message : Rehani lui avait envoyé tout ce dont il avait besoin pour parvenir jusqu'à elle. Tout d'abord, le morceau de charbon suggérait d'attendre la nuit. Ensuite, l'os servirait à calmer le chien de garde, la boîte de tabac serait pour le sorcier du village qui ne jetterait pas de sort, le riz empêcherait le coq de chanter et le collier de perles offert à la suivante de la princesse la dissuaderait de donner l'alerte. Enfin, la feuille de papayer indiquerait au jeune homme l'arbre qui se trouvait devant la case de la princesse. En suivant toutes ces instructions, le prince arriva sans encombre jusqu'à Rehani. Celle-ci l'accueillit avec grand plaisir car elle sut alors que c'était celui qu'elle attendait. Quant au prince, il découvrit la plus merveilleuse des princesses. C'est ainsi que, grâce à la finesse de son esprit, Rehani, princesse des Lions, épousa le plus intelligent et le plus ingénieux des hommes, le prince des Léopards.

Nayeli
Princesse inca

*I*l était une fois, au pays des Incas, un jeune homme qui aimait dormir à la belle étoile. Un matin, une grande lueur le réveilla et il découvrit, à quelques pas de lui, une multitude de jeunes filles qui dansaient. Toutes avaient le teint doré, leurs longs cheveux brillaient et elles étaient vêtues d'or. L'une d'entre elles attira l'attention du jeune homme car elle les surpassait toutes par sa beauté extraordinaire. Bondissant de sa cachette, il la saisit par la main l'empêchant de s'envoler avec ses sœurs. Elle s'appelait Nayeli et elle était la princesse du peuple du Soleil. Le jeune homme, tombé éperdument amoureux, lui demanda de devenir sa femme. Mais la princesse ne pouvait pas rester sur Terre, elle devait vivre dans son royaume, sinon elle en mourrait. Le jeune homme, trop amoureux, ne laissa pourtant pas Nayeli rejoindre son peuple et il cacha ses habits de lumière. Le temps passa. À présent, la princesse aimait elle aussi le jeune homme, mais elle dépérissait et ne pensait qu'à s'enfuir. Un jour, profitant de l'absence de son compagnon, Nayeli chercha ses vêtements d'or, les trouva, les enfila et son visage retrouva sa lumière. Aussitôt, elle s'envola vers son royaume. Le jeune homme ne pouvant vivre sans elle, appela à son secours le grand condor. L'oiseau majestueux répondit à sa prière et l'emporta sur son dos jusqu'au royaume de Nayeli. Là-haut, le jeune homme la retrouva. La princesse, plus belle que jamais, fut heureuse de le revoir, mais après quelques jours merveilleux passés ensemble, elle lui annonça qu'il ne pouvait rester auprès d'elle. Puis elle disparut, et le jeune homme comprit qu'il ne la reverrait plus jamais. Il rentra alors chez lui sur les ailes du condor, le cœur empli de chagrin et vécut ainsi sans jamais pouvoir oublier Nayeli, sa belle princesse du Soleil.

Taia
Princesse tahitienne

Il était une fois, sur l'île de Tahiti, au milieu de l'océan Pacifique, une princesse nommé Taia dont la beauté et la grâce dépassait celles de toutes les jeunes filles des îles aux alentours. Le jour où la princesse eut dix-huit ans, son père décida qu'il était temps de la marier et invita à sa cour le fils d'un riche roi voisin. Le jeune homme était très beau, mais la princesse ne lui jeta même pas un regard. En effet, elle avait entendu dire qu'il n'était pas assez fort pour porter une lourde charge sur ses épaules sans s'arrêter et pour elle, cela était indigne d'un prince. Elle refusa donc de l'épouser. Quelques temps plus tard, un jeune prince étranger, de passage sur l'île, arriva dans le royaume. Le roi pensa qu'il pourrait faire un bon mari pour Taia car il avait de grandes qualités. Mais la princesse refusa aussitôt ce deuxième prétendant. Elle avait vu le jeune homme demander de l'aide à des enfants pour mettre sa pirogue au sec sur le sable et elle trouvait qu'un homme digne de ce nom ne pouvait faire une chose pareille. Il arriva alors un troisième jeune prince. Aussitôt, Taia admira sa beauté et son aisance. Un jour, il apporta une assiette de gâteaux à la princesse et celle-ci les apprécia beaucoup. Cependant, elle apprit bien vite que ce n'était pas lui qui avait préparé ces gâteaux, mais un de ses serviteurs. Aussitôt, la princesse se désintéressa du prince. Pourtant, le lendemain, elle alla trouver son père lui annonçant qu'elle savait qui elle voulait épouser. Le roi, très heureux que sa fille se décide enfin, attendait de connaître l'heureux élu. Mais quand Taia lui annonça qu'il s'agissait du serviteur du prince, il refusa immédiatement. Sans se décourager, la princesse expliqua à son père que l'élu de son cœur n'était certes pas un beau prince, mais qu'il était courageux, capable de porter de lourdes charges, de déposer seul des pirogues sur le sable, pouvait cuisiner des aliments qui enchantaient le palais. Sa décision était prise et rien ne put la faire changer d'avis, si bien que le roi finit par accepter le mariage. La princesse Taia épousa alors le jeune homme et fut aussi heureuse avec lui que s'il s'était agi du plus grand des princes.

Ozalee
Princesse amérindienne

*I*l était une fois, dans les grandes plaines d'Amérique du Nord, deux tribus indiennes qui vivaient en paix.
Le premier chef indien avait un fils fort beau et d'une bravoure exceptionnelle, le prince Cheveyo. Le chef de la tribu voisine était le père d'une jeune fille très sage et d'une grande beauté, la princesse Ozalee. Les deux jeunes gens s'aimaient depuis leur plus jeune âge, mais le père d'Ozalee ne souhaitait pas leur union estimant que sa fille si belle méritait une alliance avec un prince plus fortuné que Cheveyo. La princesse refusait pourtant tous les prétendants qui se présentaient, espérant que son père changerait d'avis. Le chef, ému par l'amour que portait sa fille à son bien-aimé, lui proposa alors un marché : il organiserait un tournoi et si l'élu de son cœur gagnait les épreuves, il lui accorderait la main d'Ozalee. La princesse était certaine que son prince était le plus adroit et le plus courageux de tous, mais pour assurer sa victoire, elle alla consulter le sorcier de la tribu. Celui-ci connaissait la sincérité de l'amour qui liait les deux jeunes gens, il accepta donc de les guider en révélant à l'avance le contenu des épreuves qui attendaient Cheveyo. Ozalee s'empressa de rejoindre son prince et lui apprit ce qu'elle savait, ce qui permit à Cheveyo de s'entraîner. Ainsi, le lendemain, grâce à son courage et son adresse mais surtout grâce à la princesse, le jeune homme n'eut aucun mal à remporter le tournoi. Lors de l'épreuve d'adresse, il montra son talent avec un arc et des flèches en abattant des cibles de plus en plus éloignées. Puis il prouva sa force en combattant avec un tigre féroce et puissant. Et pour finir il monta sur un cheval sauvage et fut le seul à réussir à sauter par-dessus la rivière. Le chef, tenant sa parole, accorda la main de sa fille au prince vainqueur. Peu de temps après, on célébra le mariage de la princesse Ozalee et du prince Cheveyo au milieu des danses et des chants indiens.

Nukka
Princesse inuit

Il était une fois, au pays du grand froid, la princesse Nukka, fille du roi Gel, dont la beauté était si grande que son père la tenait enfermée dans un tambour de glace, à l'abri du regard de tous. Le prince Nuit, frère du Soleil, décida un jour d'aller la délivrer. Il demanda conseil au grand sage qui lui remit une peau de phoque et lui expliqua comment parvenir jusqu'à la princesse. Le prince Nuit voyagea vêtu de la peau de phoque qui le protégea sans qu'il ne souffre ni du vent ni du froid. À son arrivée, il se glissa jusqu'au tambour de glace et l'effleura d'une herbe magique. Personne ne fit attention à lui, croyant qu'il était un phoque, et la princesse fut délivrée. Le prince redevint alors un beau jeune homme et Nukka accepta de l'épouser et de l'accompagner dans son royaume. Lorsque le Soleil vit la princesse d'une si grande beauté et qu'il apprit qu'elle avait épousé son frère, il se retira, fou de jalousie, au-delà des mers. Mais Nukka le pria de revenir car personne ne peut vivre dans la nuit permanente. Depuis ce jour, pour faire plaisir à la princesse du Gel, le Soleil revient au pays du grand froid pour quelques mois puis, toujours jaloux de son frère, retourne au-delà des mers pour le reste de l'année.

Oihana
Princesse espagnole

Il était une fois, en Espagne, un roi qui avait deux filles. La plus jeune, Oihana, jolie princesse aux grands yeux bruns, était tombée amoureuse d'un des soldats de son père. L'aînée des sœurs, ayant découvert son secret, menaça de tout dire au roi. Le jeune homme prit peur, mais la courageuse princesse le rassura. Elle remplit trois sacs, un de cendres, l'autre de sel et le troisième de charbon et à l'aube, ils s'enfuirent tous les deux à cheval. Le roi, furieux, lança ses soldats à leur poursuite. Quand elle aperçut les cavaliers derrière eux, la princesse Oihana ouvrit le premier sac et répandit les cendres derrière elle. Aussitôt, un brouillard apparut sur la route, si épais que les cavaliers du roi ne purent continuer d'avancer. Mais quand le brouillard se dissipa, ils se rapprochèrent à nouveau des deux fugitifs. La princesse ouvrit alors le deuxième sac qui contenait du sel et le vida sur le chemin. Aussitôt, derrière Oihana et son soldat, apparut une mer immense qui força les cavaliers à s'arrêter à nouveau. Mais le roi se fâcha et leur ordonna de reprendre la poursuite. La mer disparut et les cavaliers rattrapèrent bien vite la princesse. Elle ouvrit alors le dernier sac, qui contenait du charbon, le secoua, et alors la nuit tomba, si noire et si effrayante que les cavaliers s'enfuirent. Les deux jeunes gens arrivèrent donc dans le pays du soldat sans n'être plus inquiétés. Le soldat remercia sa princesse de lui avoir sauvé la vie et lui promit de l'épouser. Mais le lendemain, à son réveil, il avait tout oublié. Désespérée, Oihana prit des vêtements de veuve et ouvrit une petite auberge. De son côté, le soldat menait une existence insouciante. Il arriva un jour où il invita des amis à dîner à l'auberge. Une fois que tous furent rassemblés autour de la table, chacun se mit à raconter une histoire et on pria Oihana de dire elle aussi un conte. Elle commença alors à raconter leur histoire et tout à coup, la mémoire du soldat revint. Il se jeta aux pieds de la princesse et lui demanda de l'épouser. La princesse Oihana, retrouvant toute sa gaieté, accepta et ils se marièrent le jour même.